아서 스타터 워크북 08

아서의 부서진 심장

KB012585

글·그림 마크 브라운

롱테일북스

등장인물

D.W.

메리 무 카우를 좋아하는 아서의 여동생. 아서를 괴롭히는 게 취미이다.

빙키

거친 외모와 달리 의외로 섬세한 성격을 지닌 아서의 친구.

브레인

아서의 친구들 중 가장 똑똑한 친구. 특히 수학과 과학을 제일 잘한다.

버스터

아서의 가장 친한 친구. 탐정 놀이와 외계인을 좋아하는 특이한 성격의 소유자.

머피

패션 감각이 뛰어난 아서의 친구. 분홍색을 가장 좋아한다.

Contents

본 워크북에 담긴 한국어 번역의 페이지는 영어 원서의 페이지와 동일하게 유지했습니다.
영어 원서를 읽다가 이해가 가지 않는 부분이 있다면, 워크북의 같은 페이지를 펼쳐 보세요! 궁금한 부분의 번역을 쉽게 확인할 수 있습니다.

영어 원서를 100 단어 기준으로 총 네 개의 파트로 나누어, 각 파트별로 다양한 액티비티를 담았습니다. 재미있게 영어 원서를 읽고 액티비티를 풀어 나가다 보면 영어 실력도 쑥쑥 향상될 것입니다!

부록으로 제공되는 MP3 CD에는 '듣기 훈련용 오디오북'과 '따라 읽기용 오디오북'의 두 가지 오디오북이 담겨 있습니다.
'듣기 훈련용 오디오북'은 원어민 전문 성우가 녹음한 오디오북으로 재미있는 효과음이 곁들여져 원서의 내용을 실감나게 이해하도록 도울 것입니다.
'따라 읽기용 오디오북'은 초보 학습자들을 위한 오디오북으로 효과음을 제거하고 조금 더 천천히 녹음한 것으로 학습용으로 사용하기에 유용할 것입니다.

“다 했다!” 아서가 말했습니다. “난 내 과학 과제를 끝냈어.” 그가 팔에게 말했습니다.

“내일 수업에 딱 맞췄어.”

팔이 짖었고 녀석의 꼬리를 흔들었습니다.

“이건 사람의 심장이야.” 아서가 말했습니다. “그렇게 보이지 않니?”

D.W
BIONIC BUNNY
B
ALIENS
ELIZA
E
BASEBALL
TUCKER
THE HUMAN HEART
CLAY

CLAY
CLAY
GLUE
RED
THE HUMAN HEART
HEART

팔은 더 자세히 보려고 뛰어올랐습니다.

"안 돼애애애!" 아서가 울부짖었습니다.

아서가 녀석을 멈추기도 전에,

팔은 모든 것을 쳐서 바닥으로 떨어뜨렸습니다.

쾅!

"이게 무슨 소리야?" D.W.가 물었습니다. "오오오! 만약 그게 오빠의 과학 과제라면, 오빠는 큰일이 난 거야."

아서는 제대로 생각할 수 없었습니다.

"나는 바람을 좀 쐬어야겠어." 그가 말했습니다.

THE HUMAN HEART

빙키는 놀이터에서 농구를 하고 있었습니다.

“안녕, 아서.” 그가 말했습니다. “같이 일대일로 간단한 시합 한 번 붙어 볼래?”

“아니, 괜찮아.” 아서가 말했습니다.

빙키는 웃었습니다. “나한테 질까 봐 무섭니?”

“나는 농구에 대해 생각조차 할 수 없어.” 아서가 말했습니다.

“내 심장이 부서졌고, 나는 어떻게 해야 할지 모르겠어.”

“오.” 빙키가 말했습니다.

공원에서, 아서는 우연히 브레인과 만났습니다.
“발사하는 걸 도와줄래?” 브레인이 물었습니다.
“난 여기에서 역사를 쓰고 있어.”

“미안하지만, 난 그럴 기분이 아니야.” 아서가 말했습니다.

“내 심장이 부서졌거든.”

“오.” 브레인이 말했습니다.

아서는 계속 길을 갔습니다.

“빵!” 머피가 그의 뒤에서 말했습니다.

“빵빵!” 프랜신이 말했습니다.

“우리는 자전거를 타러 갈 거야. 같이 갈래?”

“난 그러고 싶지 않아.” 아서가 말했습니다.

“무슨 일이야?” 머피가 물었습니다.

“내 심장이 부서졌어.” 아서가 설명했습니다.

“오.” 프랜신과 머피가 같이 말했습니다.

잠시 후 아서는 버스터에게 걸려 넘어질 뻔했습니다.

“너에게 내가 해결해 줄 수수께끼가 있니?” 버스터가 물었습니다.

“내가 풀고 싶은 유일한 수수께끼는.” 아서가 말했습니다.

“내 부서진 심장을 고칠 방법뿐이야.”

“오.” 버스터가 말했습니다.

그의 방으로 돌아와서, 아서는 자신의 과제를 보았습니다. 그것은 산산조각이 났습니다.

어떻게 그가 모든 것을 다시 붙일 수 있을까요?

아래층에서, 초인종이 울렸습니다.

HUMAN HEART

빙키, 브레인, 머피, 프랜신, 그리고 버스터가 밖에 서 있었습니다.

“우리는 모두 네 마음이 다친 것을 안타깝게 생각하고 있어.” 브레인이 말했습니다.

“맞아.” 빙키가 말했습니다. “그 여자아이는 누구야, 그런데?”

“우리가 아는 사람이니?” 프랜신이 물었습니다.

“여자아이?” 아서가 물었습니다. “어떤 여자아이 말이야?”

“네 마음을 아프게 한 사람 말이야.” 버스터가 말했습니다.

“오!” 아서가 말했습니다. “들어와. 내가 너희에게 보여 줄게.”

"저거야?" 머피가 말했습니다. "*저게* 네 부서진 심장이야?"

버스터가 더 자세히 보았습니다. "그건 정말 상태가 좋지 않네." 그가 인정했습니다. "하지만 우리가 그걸 고칠 수 있겠어, 내 생각에는 말이야."

"시간이 없어." 아서가 말했습니다. "내일까지 제출해야 하잖아."

"우리는 할 수 있어." 브레인이 말했습니다. "만약 우리가 모두 같이 일한다면."

"맞아!" 프랜신이 말했습니다. "우리는 풀 한 통이 필요할 거야."

"아마도 두 통이 있어야 할 거야." 빙키가 말했습니다.

"내가 간식을 가져올게!" 버스터가 덧붙였습니다.

시간이 한참 걸렸지만, 마침내 그들은 완성했습니다.

"끝났다." 프랜신이 말했습니다.

"새 것처럼 훌륭해." 버스터가 말했습니다.

"사실, 저건 새 거지." 브레인이 지적했습니다.

"그게 그거지 뭐." 머피가 말했습니다.

“고마워.” 아서가 말했습니다. “나 혼자서는 할 수 없었을 거야.”

“*정말?*” 빙키가 물었습니다.

아서가 미소 지었습니다. “내 심장을 걸고 맹세해.” 그가 말했습니다.

Activities

영어 원서를 총 네 개의 파트로 나누어,
각 파트별로 다양한 액티비티를 담았습니다.

각 파트의 영어 원서 페이지는 롱테일북스에서 출간된
'롱테일 에디션'을 기준으로 합니다!

Vocabulary Part 1

과학

science

과제, 연구

project

짖다

bark

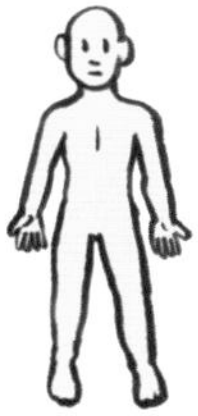

사람의, 인간의; 인간

human

심장, 가슴, 마음

heart

부딪치다; 문 두드리는 소리

knock

바닥

floor

요란한 소리

crash

문제, 곤란

trouble

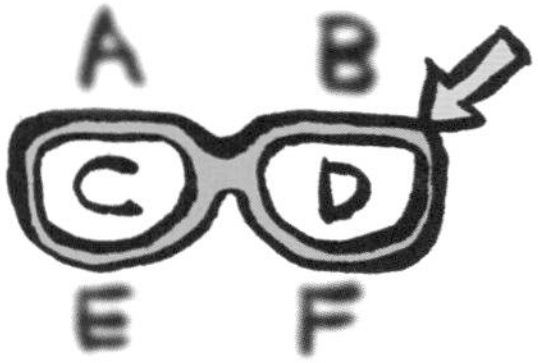

분명하게, 또렷하게

clearly

필요하다

need

공기

air

슛을 하다

shoot

(농구에서) 득점

basket

놀이터

playground

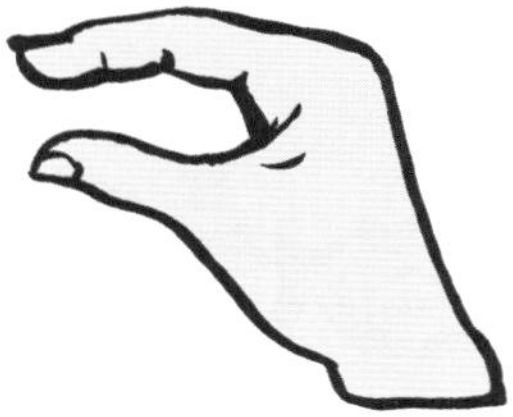

조금, 약간

a little

웃다

laugh

이기다 (과거분사형 beat)

beat

A 알파벳을 바르게 배열하여 그림에 맞게 단어를 완성해 보세요.

1

r k a b

b ________

2

l u t o b r e

____

3

e d e n

____

B 알파벳을 바르게 써넣어 그림에 알맞은 단어를 완성해 보세요.

1

s c ie __ ce

2

b __ ke

3

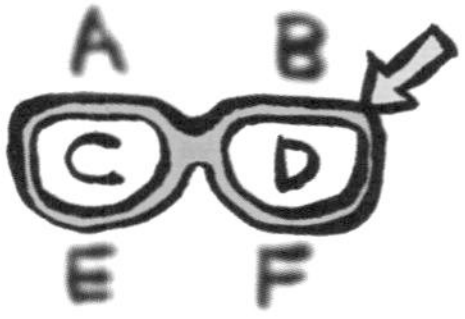

cl __ ar __ y

C 그림을 보고 알맞은 단어를 퍼즐에서 찾은 뒤, 빈칸에 단어를 써 보세요.

c	t	a	d	c	p	i	f
k	n	o	c	k	m	o	l
t	w	m	r	t	n	s	o
l	t	i	a	u	d	h	o
h	a	n	s	r	a	i	r
u	c	k	h	l	y	o	e
m	g	e	p	g	r	w	y
h	l	a	s	h	o	o	t

1

crash

2

______

3

______

4

______

5

______

Wrap Up! Part 1

A 이야기의 순서에 맞게 번호를 적어 보세요.

1

Arthur finished
his science project.

D.W. asked about the noise.

Binky asked Arthur
to play with him.

Pal jumped up
to look at Arthur's project.

B 각 단어에 알맞은 그림을 찾고, 이를 설명하는 문장을 찾아 바르게 이어 보세요.

- heart
- knock
- trouble
- basket

- Pal knocked Arthur's project onto the floor.
- Binky was shooting baskets.
- Arthur made a human heart.
- Arthur was in big trouble.

C 다음 그림을 보고 아래의 단어를 알맞게 넣어 문장을 완성해 보세요.

project   human   barked

1 Arthur finished his science ________ just in time.

2 Pal ________ on Arthur's bed.

3 Arthur's science project was making a ________ heart.

D 책의 내용과 일치하면 TRUE에, 그렇지 않으면 FALSE에 동그라미를 그려 보세요.

1. Arthur stopped Pal just before he jumped up. TRUE FALSE
2. Arthur could not think clearly after the crash. TRUE FALSE
3. Binky asked Arthur to play a basketball game. TRUE FALSE
4. Binky was afraid that Arthur would beat him. TRUE FALSE

E 다음 질문에 대한 알맞은 답을 골라 보세요.

What happened to Arthur's science project?

a. Binky threw it away.

b. D.W. poured water on it.

c. Pal knocked it onto the floor.

Let's Write! Part 1

A 우리말에 맞게 알맞은 짝을 찾아 바르게 연결하고 완성된 문장을 두 번씩 써 보세요.

1	I finished	at the playground.
2	Pal barked	my science project.
3	Pal jumped up	and wagged his tail.
4	Binky was shooting baskets	for a closer look.

1 난 내 과학 과제를 끝냈어.

I finished my science project.

2 팔이 짖었고 녀석의 꼬리를 흔들었습니다.

3 팔은 더 자세히 보려고 뛰어올랐습니다.

4 빙키는 놀이터에서 농구를 하고 있었습니다.

Vocabulary Part 2

부서진, 깨진

broken

공원

park

~와 우연히 만나다

run into

돕다

help

발사

launch

역사

history

기분, 분위기

mood

계속하다

continue

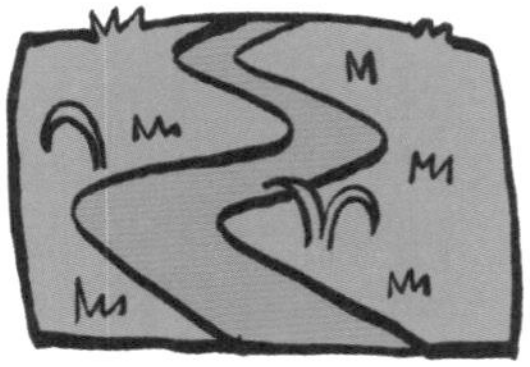

길

way

빵 하는 소리, 경적

beep

두 번의, 두 배의

double

(말, 자동차 등을) 타기

ride

생각하다

think

설명하다

explain

같이, 함께

together

발을 헛디디다 (과거형 tripped)

trip

수수께끼 (복수형 mysteries)

mystery

해결하다, 풀다

solve

Word Review Part 2

A 알파벳을 이어서 알맞은 그림과 연결하고, 빈칸에 완성된 단어를 써 보세요.

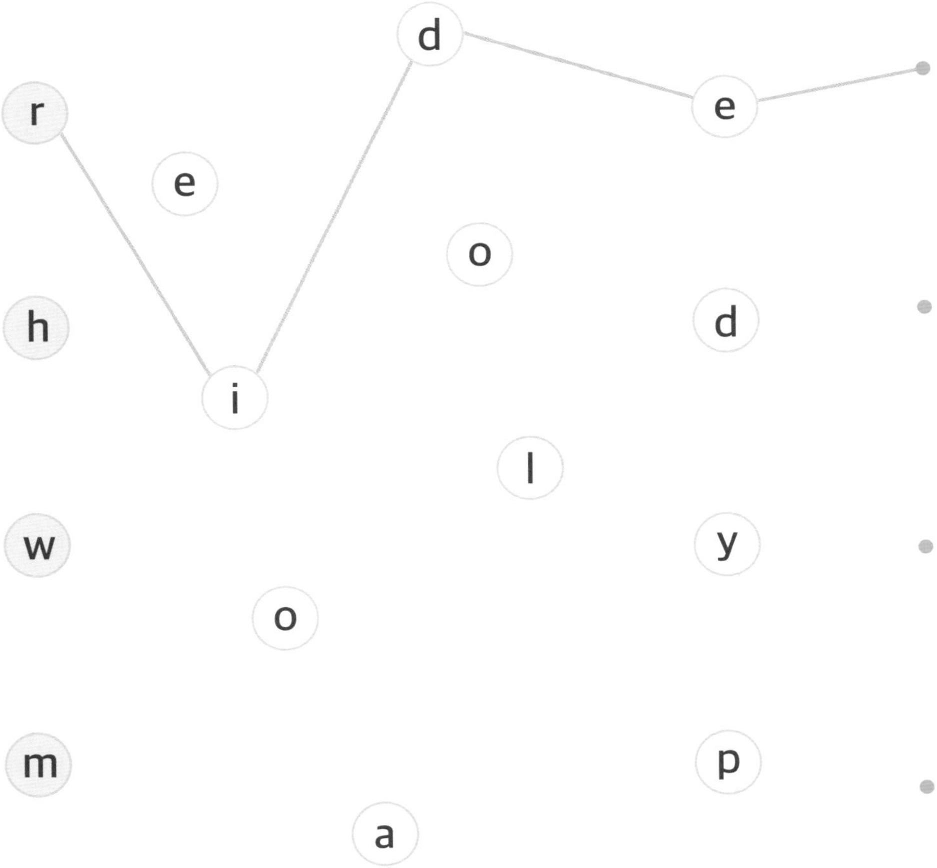

ride

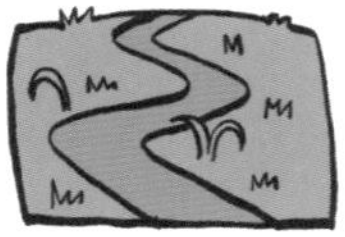

B 그림을 보고 같은 색깔의 알파벳을 바르게 배열하여 빈칸에 써 보세요.

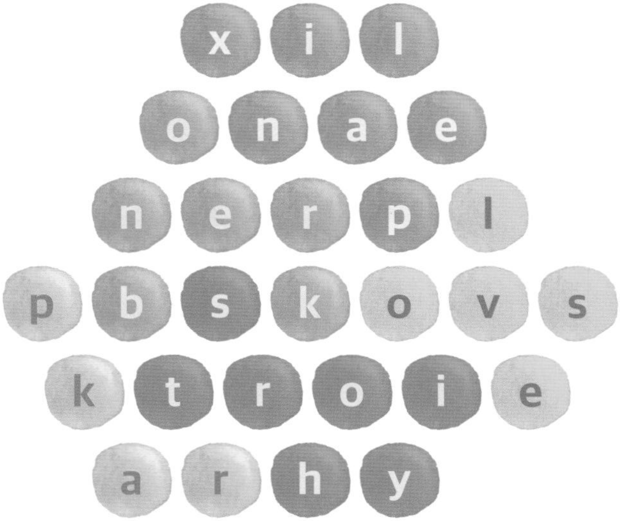

1

history

2

3

4

5

Wrap Up! Part 2

A 이야기의 순서에 맞게 번호를 적어 보세요.

Buster was in Arthur's way.

Muffy and Francine asked Arthur to go for a ride.

Arthur didn't want to play basketball.

Arthur saw the Brain working on the launch.

B 두 개의 문장 중 오른쪽에 있는 그림을 바르게 설명하는 문장을 골라 보세요.

1
- ⓐ Arthur could only think about his heart.
- ⓑ Arthur could only think about basketball.

2
- ⓐ Arthur didn't want to run into the Brain.
- ⓑ Arthur didn't want to help with the launch.

3
- ⓐ Arthur explained how to ride a bicycle.
- ⓑ Arthur explained that his heart was broken.

4
- ⓐ Buster asked Arthur about any mysteries.
- ⓑ Buster asked Arthur about his project.

C 다음 그림을 보고 아래의 단어를 알맞게 넣어 문장을 완성해 보세요.

beeped continued ride

1. Arthur ______________ to go his way.

2. Muffy and Francine ______________ behind Arthur.

3. Muffy and Francine were going for a ______________ together.

D 책의 내용과 일치하면 TRUE에, 그렇지 않으면 FALSE에 동그라미를 그려 보세요.

1. Binky played basketball with Arthur. TRUE FALSE
2. Arthur helped the Brain with the launch. TRUE FALSE
3. Arthur explained his problem to Muffy and Francine. TRUE FALSE
4. Arthur tripped over Buster and fell to the ground. TRUE FALSE

E 다음 질문에 대한 알맞은 답을 골라 보세요.

What did Buster do on the ground?

a. He tripped over a basketball.

b. He took a closer look at some ants.

c. He looked for some mysteries to solve.

Let's Write! Part 2

A 오늘 공부한 문장을 따라 써 보세요.

1 내 심장이 부서졌어.

My heart is broken.

2 아서는 우연히 브레인과 만났습니다.

Arthur ran into the Brain.

3 난 그럴 기분이 아니야.

I'm not in the mood.

4 아서는 계속 길을 갔습니다.

Arthur continued on his way.

5 우리는 자전거를 타러 갈 거야.

We're going for a ride.

6 아서는 버스터에게 걸려 넘어질 뻔했습니다.

Arthur almost tripped over Buster.

Vocabulary Part 3

유일한

only

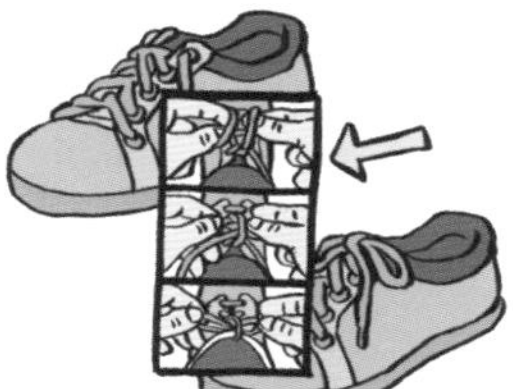

어떻게

how

고치다, 수리하다

fix

방

room

엄청난 수

zillion

조각

piece

모든 것, 모두

everything

아래층에서; 아래층

downstairs

초인종

doorbell

(벨이) 울리다 (과거형 rang)

ring

서 있다, 서다

stand

밖에, 밖에서

outside

모두, 다; 모든

all

느끼다, (감정, 기분이) 들다

feel

안 좋은, 나쁜

bad

여자아이

girl

알다

know

보여 주다; 공연, 대회

show

Word Review Part 3

A 그림을 보고 알파벳 속에서 맞는 단어를 찾아 빈칸에 써 보세요.

erfixepgistandbpicodownstairsteipiecemznbsnzillionhdshowbe

1 

fix

2 

3 

4 

5 

6 

B 그림을 보고 알맞은 단어를 퍼즐에 넣어 완성한 뒤, 빈칸에 단어를 써 보세요.

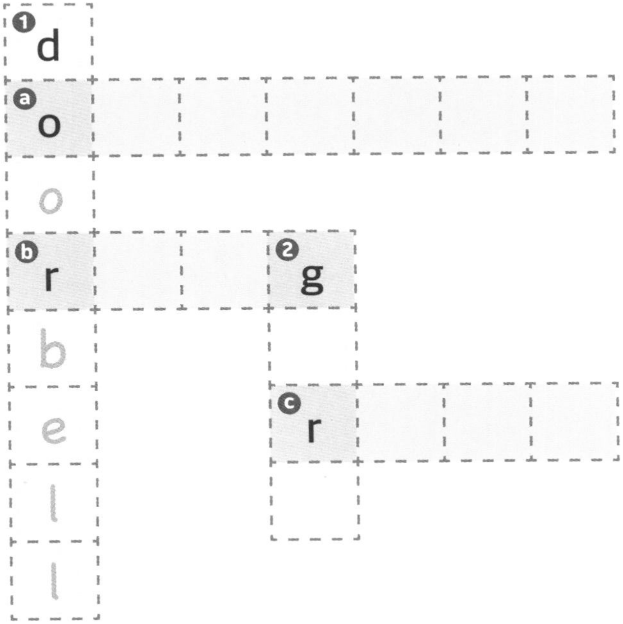

❶

doorbell

❷

ⓐ

ⓑ

ⓒ

Wrap Up! Part 3

A 이야기의 순서에 맞게 번호를 적어 보세요.

Arthur's friends felt sorry for Arthur.

Arthur went back to his room.

Arthur only thought about how to fix his heart.

Arthur didn't know what they were talking about.

B 그림의 각 부분을 올바르게 설명하는 문장을 찾아 빈칸에 맞는 기호를 넣어 보세요.

ⓐ Buster was standing outside with his friends.

ⓑ Binky wanted to know who broke Arthur's heart.

ⓒ Francine asked if she knew the girl.

ⓓ Arthur decided to show his broken heart to his friends.

C 다음 그림을 보고 아래의 단어를 알맞게 넣어 문장을 완성해 보세요.

room　　everything　　zillion

1 Arthur looked at his project in his ______________ .

2 Arthur's project was broken into a ______________ pieces.

3 Arthur could not think of how to put ______________ together.

D 책의 내용과 일치하면 TRUE에, 그렇지 않으면 FALSE에 동그라미를 그려 보세요.

1. Arthur wanted to solve mysteries with Buster. TRUE FALSE
2. Arthur's friends felt bad about Arthur's broken heart. TRUE FALSE
3. Francine knew who broke Arthur's heart. TRUE FALSE
4. Arthur showed the girl who broke his heart to his friends. TRUE FALSE

E 다음 질문에 대한 알맞은 답을 골라 보세요.

What did Arthur's friends think about his broken heart?

a. A girl broke it.

b. It was in a zillion pieces.

c. It was about a science project.

Let's Write! Part 3

A 우리말에 맞게 네모 안에 있는 말을 바르게 배열해 보세요.

1 아서는 자신의 과제를 보았습니다.

looked at 보았다	project 과제를	his 그의	Arthur 아서는

Arthur looked at _______________ .

2 아래층에서, 초인종이 울렸습니다.

the doorbell 초인종이	Downstairs, 아래층에서	rang 울렸다

_______________ .

3 그의 친구들이 밖에 서 있었습니다.

were standing 서 있었다	outside 밖에	His friends 그의 친구들이

_______________ .

4 우리는 모두 안타깝게 생각하고 있어.

all 모두	feel 생각하고 있다	We 우리는	bad 안타깝게

.

5 그 여자아이는 누구야?

Who 누구	this girl 그 여자아이는	is ~이니

?

6 내가 너희에게 보여 줄게.

show 보여 주다	I'll 내가 ~할 것이다	you 너희에게

.

Vocabulary Part 4

자세한, 가까운

close

상태, 모양, 형태

shape

인정하다 (과거형 admitted)

admit

~하기로 되어 있는, 예정된

due

내일

tomorrow

일하다, 작동하다; 일

work

병

bottle

풀, 접착제

glue

간식

snack

덧붙이다, 더하다

add

(시간이) 걸리다 (과거형 took)

take

마침내

finally

좋은

good

새로운

new

지적하다

point out

혼자

alone

미소를 짓다

smile

(가슴에) 십자가를 긋다

cross

Word Review Part 4

A 알파벳을 이어서 알맞은 그림과 연결하고, 빈칸에 완성된 단어를 써 보세요.

o

a r d

d

c s

s

s o e

p

o

g h d

a

B 그림을 보고 같은 색깔의 알파벳을 바르게 배열하여 빈칸에 써 보세요.

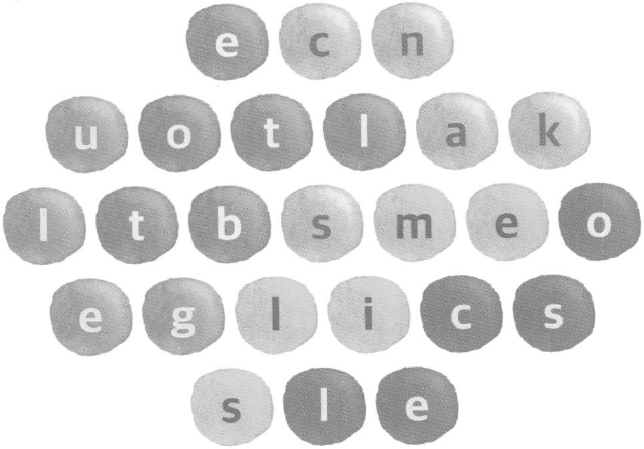

1

2

3

4

5

Wrap Up! Part 4

A 이야기의 순서에 맞게 번호를 적어 보세요.

Arthur's friends finally saw Arthur's broken heart.

Arthur and his friends worked on his project together.

Arthur smiled and crossed his heart.

Arthur's friends wanted to help him remake his heart.

B 두 개의 문장 중 오른쪽에 있는 그림을 바르게 설명하는 문장을 골라 보세요.

1

ⓐ Arthur's project needed to be fixed.

ⓑ Arthur's project was finished just in time.

2

ⓐ Francine said that they needed a bottle of glue.

ⓑ Francine said that they needed some snacks.

3

ⓐ The Brain said that they could fix Arthur's heart.

ⓑ The Brain said that they should leave.

4

ⓐ Arthur finished fixing his heart alone.

ⓑ Arthur thanked his friends for helping him.

C 다음 그림을 보고 아래의 단어를 알맞게 넣어 문장을 완성해 보세요.

due admitted worked

1. Buster ______________ that Arthur's heart was in bad shape.

2. The project was ______________ the next day.

3. Arthur's friends ______________ together to fix his project.

D 책의 내용과 일치하면 TRUE에, 그렇지 않으면 FALSE에 동그라미를 그려 보세요.

1. Arthur's friends finally saw his broken heart. TRUE FALSE
2. Arthur and his friends needed some empty bottles. TRUE FALSE
3. It took a while to fix Arthur's heart. TRUE FALSE
4. After all the friends worked together, Arthur's project looked as good as new. TRUE FALSE

E 다음 질문에 대한 알맞은 답을 골라 보세요.

What did Arthur's friends do when they saw his broken heart?

a. They cleaned up Arthur's room for him.

b. They helped Arthur make his project good again.

c. They crossed their hearts to keep Arthur's secret.

Let's Write! Part 4

A 오늘 공부한 문장을 따라 써 보세요.

1 버스터가 더 자세히 보았습니다.

Buster took a closer look.

2 그건 정말 상태가 좋지 않네.

It is in pretty bad shape.

3 만약 우리가 모두 같이 일한다면 우리는 할 수 있어.

We can do it if we all work together.

4 우리는 풀 한 통이 필요할 거야.

We'll need a bottle of glue.

5 내가 간식을 가져올게!

I'll help with the snacks!

6 나 혼자서는 할 수 없었을 거야.

I couldn't have done it alone.

Answers

Part 1

Word Review

A

1

rkab
bark

2

lutobre
trouble

3

eden
need

B

1

science

2

basket

3

clearly

C

c	t	a	d	c	p	i	f
k	n	o	c	k	m	o	l
t	w	m	r	t	n	s	o
l	t	i	a	u	d	h	o
h	a	n	s	r	a	i	r
u	c	k	h	l	y	o	e
m	g	e	p	g	r	w	y
h	l	a	s	h	o	o	t

1

crash

2

floor

3

shoot

4

knock

5

air

Wrap Up!

A

1

Arthur finished his science project.

3

D.W. asked about the noise.

4

Binky asked Arthur to play with him.

2

Pal jumped up to look at Arthur's project.

B

heart

knock

trouble

basket

Pal knocked Arthur's project onto the floor.

Binky was shooting baskets.

Arthur made a human heart.

Arthur was in big trouble.

C

1. Arthur finished his science project just in time.
2. Pal barked on Arthur's bed.
3. Arthur's science project was making a human heart.

D 1 FALSE 2 TRUE 3 TRUE 4 FALSE

E c

Let's Write!

A

1. I finished — my science project.
2. Pal barked — and wagged his tail.
3. Pal jumped up — for a closer look.
4. Binky was shooting baskets — at the playground.

Part 2

Word Review

A

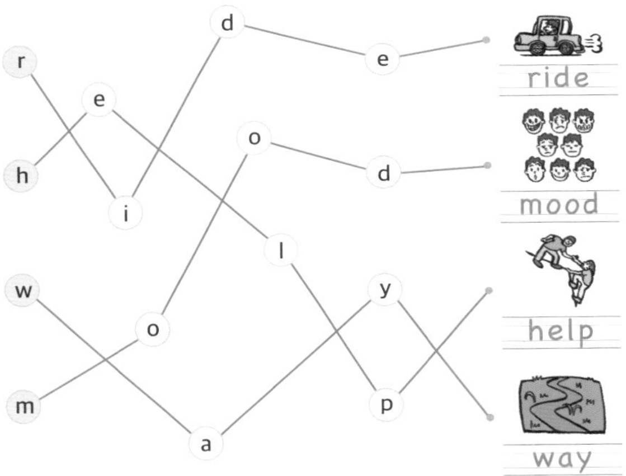

B

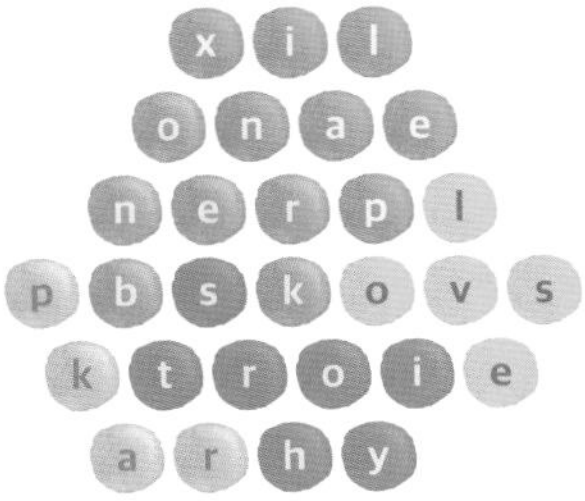

1 
history

2 
explain

3 
park

4 
solve

5 
broken

Wrap Up!

A

4 
Buster was in Arthur's way.

3 
Muffy and Francine asked Arthur to go for a ride.

1 
Arthur didn't want to play basketball.

2 
Arthur saw the Brain working on the launch.

B 1 a   2 b   3 b   4 a

C

1 Arthur continued to go his way.

2 Muffy and Francine beeped behind Arthur.

3 Muffy and Francine were going for a ride together.

D 1 FALSE   2 FALSE   3 TRUE   4 FALSE

E c

Part 3
Word Review

A

erfixepgistandbpicodownstairsteipiecemznbsnzillionhdshowbe

1 
fix

2 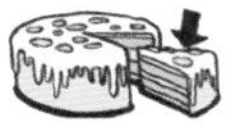
piece

3 
downstairs

4 
stand

5 
zillion

6 
show

B

① d						
ⓐ o	u	t	s	i	d	e
o						
ⓑ r	i	n	② g			
b			i			
e			ⓒ r	o	o	m
l			l			
l						

1 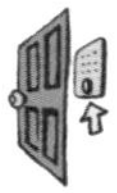
doorbell

2 
girl

a 
outside

b 
ring

c 
room

Wrap Up!

A

Arthur's friends felt sorry for Arthur.

Arthur went back to his room.

Arthur only thought about how to fix his heart.

Arthur didn't know what they were talking about.

B

C

1. Arthur looked at his project in his room .
2. Arthur's project was broken into a zillion pieces.
3. Arthur could not think of how to put everything together.

D

1 FALSE 2 TRUE 3 FALSE 4 FALSE

E

a

Let's Write!

A

1. Arthur looked at his project.
2. Downstairs, the doorbell rang.
3. His friends were standing outside.
4. We all feel bad.
5. Who is this girl?
6. I'll show you.

Part 4

Word Review

A

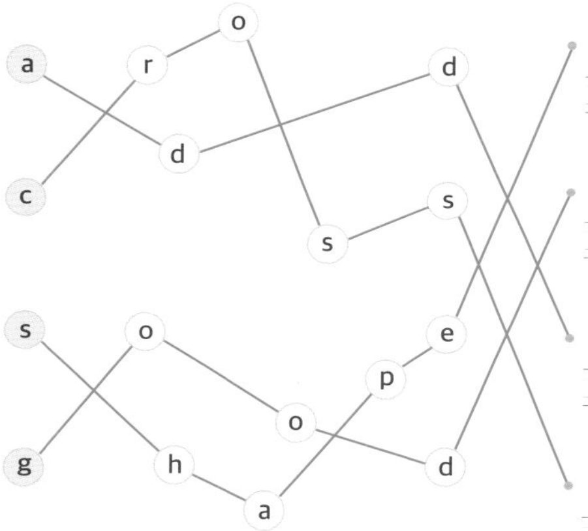

shape

good

add

cross

B

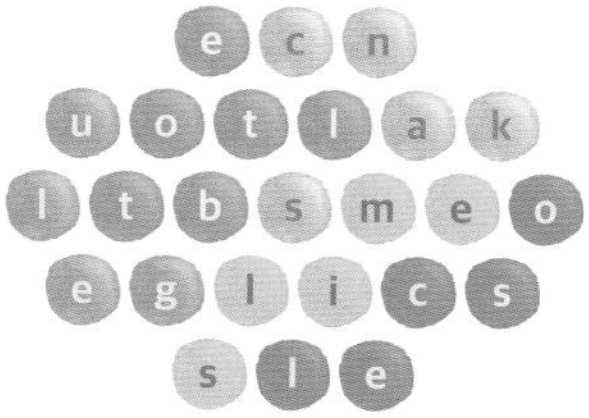

1 

bottle

2 

snack

3 

close

4 

smile

5 

glue

Wrap Up!

A

1 

Arthur's friends finally saw Arthur's broken heart.

3 

Arthur and his friends worked on his project together.

4 

Arthur smiled and crossed his heart.

2 

Arthur's friends wanted to help him remake his heart.

B 1 a 2 a 3 a 4 b

C

1 Buster admitted that Arthur's heart was in bad shape.

2 The project was due the next day.

3 Arthur's friends worked together to fix his project.

D 1 TRUE 2 FALSE 3 TRUE 4 TRUE

E b

M
M

More Arthur Stories to Read!

01 Arthur and the Big Snow

02 Arthur and the Dog Show

03 Arthur Helps Out

04 Arthur Jumps into Fall

05 Arthur Tells a Story

06 Arthur to the Rescue

07 Arthur's Birthday Surprise

08 Arthur's Heart Mix-Up

09 Arthur's Homework

10 Arthur's Jelly Beans

11 Arthur's Mystery Babysitter

12 Arthur's Off to School

13 Arthur's Tree House

재미있는 내용을 쉬운 문장과 간결한 표현으로 풀어 낸 기초 원서,
『아서 스타터(Arthur Starter)』 시리즈

아이들의 눈높이에 맞춘 유쾌한 이야기!
실생활에 바로 적용할 수 있는 영어 표현!

ARTHUR'S HEART MIX-UP

아서의 부서진 심장

초판 발행 2022년 1월 3일

글·그림 마크 브라운
번역및콘텐츠감수 유아름 정소이
콘텐츠제작참여 기나현 선생님(경기 고양 일산중) 김수정 선생님(경기 부천 계남초)
이재영 선생님(서울 영등포 영림초) 임소연 선생님(경기 동두천 생연초)
영문감수 Julie Tofflemire
책임편집 유아름 정소이 김보경
디자인 모희정 이강효
저작권 김보경
마케팅 김보미 정경훈

기획 김승규
펴낸이 이수영
펴낸곳 롱테일북스
출판등록 제2015-000191호
주소 04033 서울특별시 마포구 양화로 113(서교동) 3층
전자메일 helper@longtailbooks.co.kr

ISBN 979-11-91343-32-8 14740